afgeschreven

De leugen

Uitgeverij Eenvoudig Communiceren / Lezen voor Iedereen
www.eenvoudigcommuniceren.nl
www.lezenvooriedereen.be

De leugen is het elfde deel in de spannende, twintigdelige reeks *BoekenBoeien*.
In deze serie zijn woorden verwerkt uit de *Basislijst Schooltaalwoorden vmbo*.
Leerlingen maken zo spelenderwijs kennis met woorden die van groot belang
zijn bij de schoolvakken biologie, economie, wiskunde, natuurkunde en mens &
maatschappij. De reeks *BoekenBoeien* bevat alle 1600 woorden uit de *Basislijst
Schooltaalwoorden vmbo*, gemiddeld 80 woorden per deel. **In *De leugen* staan
woorden uit de categorie wiskunde en de categorie algemeen.**
De *Basislijst Schooltaalwoorden vmbo* is samengesteld door het Instituut voor
Taalonderzoek en Taalonderwijs Amsterdam (ITTA), onderdeel van de Universiteit
van Amsterdam, in opdracht van Dienst Maatschappelijke Ontwikkeling Amsterdam.
Meer informatie: www.itta.uva.nl.

De serie *BoekenBoeien* is breed inzetbaar, en leent zich uitstekend voor zowel
individueel als klassikaal en/of schoolbreed lezen. Drie keer per week twintig
minuten lezen is voor leerlingen al voldoende om vooruitgang te boeken in
leesvaardigheid en tekstbegrip.

www.boekenboeien.nl | www.boekenboeien.be

Naar een idee van Marian Hoefnagel en Helene Bakker
Tekst: Marian Hoefnagel
Vormgeving: Uitgeverij Eenvoudig Communiceren
Beeld omslag: Shutterstock
Druk: Easy-to-Read Publications

ISBN 978 90 8696 145 0

De leugen

Marian Hoefnagel

Dit boek heeft het keurmerk Makkelijk Lezen

Voorwoord

Welkom bij *BoekenBoeien*: twintig spannende boeken die lekker makkelijk lezen. *BoekenBoeien* is geen gewone boekenreeks, er is iets bijzonders mee aan de hand. In elk verhaal staan namelijk ongeveer 80 woorden uit de *Basislijst Schooltaalwoorden vmbo*.

In de *Basislijst Schooltaalwoorden vmbo* staan woorden die je nodig hebt om de lessen op school goed te snappen. En voor later zijn ze natuurlijk ook handig.

De schooltaalwoorden in dit boek staan *schuingedrukt*. Sommige woorden ken je misschien al. Of je begrijpt de betekenis zodra je de rest van de zin leest. Zitten er woorden tussen die je nog niet kent? Zoek dan de betekenis op in de woordenlijst. Die vind je op bladzijde 70.

In totaal bestaat de *Basislijst Schooltaalwoorden vmbo* uit 1600 woorden. Ze zijn ingedeeld in zes categorieën: algemeen, wiskunde, biologie, natuurkunde, economie en mens & maatschappij. In *De leugen* staan woorden uit de categorie wiskunde en de categorie algemeen.

Wist je dat lezen makkelijker wordt als je het vaak doet? Met drie keer twintig minuten per week merk je al een groot verschil. En de reeks *BoekenBoeien* bestaat uit maar liefst twintig delen. Dus mogelijkheden genoeg om te oefenen.

Over het verhaal

Dit is het verhaal van Pelle, een arme
scheepsjongen.
Hij moet hard werken op een boot die naar de Oost
vaart, naar Japan en China.
Daar, in China, beleeft hij een wonderlijk avontuur.
Zo ongelooflijk is dat avontuur, dat hij het aan
niemand kan vertellen.

Het verhaal speelt ongeveer 400 jaar geleden.
Het vervoermiddel van die tijd is paard en wagen
en op de zeeën varen zeilboten.
Een bootreis naar Japan en China duurt dan ook erg
lang. Vaak wel een jaar. Of langer.

Amsterdam is rond 1600 een rijke stad aan het
worden.
Kooplieden verdienen veel geld met hun handel
overzee.
Maar lang niet alle Amsterdammers zijn rijk.
Er zijn ook heel veel arme mensen. Voor hen is het
leven moeilijk.
Vooral als ze ziek worden. Of een ongeluk krijgen.
Want *uitkeringen* als ziektegeld of WAO bestaan
nog niet.
Mensen die niet kunnen werken, moeten bedelen.
Of ze verkopen hun kinderen, zoals de vader van
Pelle ...

Ik heb bij het schrijven van dit verhaal de volgende bronnen geraadpleegd:

- www.amsterdam.info/nl/geschiedenis/gouden-eeuw/
- www.vocsite.nl

De gebeurtenis in China is losjes gebaseerd op een verhaal van Karen Blixen: *The immortal story* (Penguin, 1958).

Op deze plaats wil ik mijn speciale dank betuigen aan mijn goede vriend en (oud-)collega Jan Koster, historicus, die het verhaal op anachronismen heeft nagekeken. Dat zijn begrippen die niet passen in de tijd van het boek. Zoals een holenmens die ineens op een iPad werkt. Of een raket in de middeleeuwen.
Jan Koster heeft heel wat anachronismen uit mijn verhaal gehaald!

Marian Hoefnagel, mei 2012

In Kanton, China

Op de hoek van twee nauwe straatjes zit een jongen.
Het is een scheepsjongen, dat zie je aan zijn kleren.
Hij heeft een halflange broek aan, een wijde bloes en blote voeten.
Hij leunt tegen zijn plunjezak*. Daarin zit alles wat hij heeft.
En dat is niet veel.

Het wordt donker in de kleine straatjes.
Hier en daar verschijnen lichtjes in gekleurde lampions.
Het ziet er sprookjesachtig uit, maar toch lopen er weinig mensen.
In het donker is het niet veilig in Kanton.

Het is een mooie jongen, die daar op de hoek zit.
Zijn gezicht is bruin van de zon.
Zijn blonde haar is bijna wit door het zout van de zee.
Zijn schouders zijn breed van het zware werk dat hij doet.
Toch is hij nog erg jong; veertien pas.

De jongen weet dat hij niet in slaap moet vallen.
Want dan zullen dieven zijn spullen stelen.
Ook al is het nog zo weinig wat hij heeft.

---

* Een plunjezak is een zak waarin zeemannen hun kleren en andere spullen deden.

Hij zucht. Hij wou dat hij weer op zee was.
Niet dat het leven daar zo fijn is, onderin die
stinkende boot.
Ze slapen daar met tachtig mannen, dicht naast
elkaar.
Samen met de muizen, de ratten en de
kakkerlakken.
Maar het is er wel veiliger dan hier, alleen, op de
hoek van twee straatjes.

Een jaar is hij nu van huis.
Een jaar van hard werken op een klein zeilschip.
Een jaar van slecht eten en angst voor stormen.
Een jaar van heimwee naar Amsterdam.

Pelle heet de jongen. Hij is de helft van een
tweeling.
Zijn broer Lasse is thuis, in Amsterdam.
Hij stond te zwaaien, toen Pelles schip wegvoer.
Met tranen in zijn ogen.
Pelle en Lasse, ze waren elkaars *spiegelbeeld*.
Niemand kon hen uit elkaar houden.
Ze waren altijd samen, vanaf hun geboorte.
Nooit waren ze één dag zonder elkaar geweest.
Tot die akelige avond, die alles veranderde ...

Een vader met één been

Ze waren samen naar de kroeg gegaan, Lasse en hij.
Hun moeder had hen erheen gestuurd.
'Ga je vader halen', had ze gezegd. 'Voordat hij nog
meer geld opzuipt dat we niet hebben.'

Ze hadden het niet leuk gevonden om naar de kroeg
te gaan. Ze wisten wel wat er zou gebeuren.
Ze hadden het al zo vaak meegemaakt.
Hun vader zou eerst kwaad worden en gaan
schelden.
Vervolgens zou de kroegbaas erbij komen. En
die zou hun dronken vader dan uit de kroeg
verwijderen.
Maar zo ging het die avond niet. Jammer genoeg.

Vroeger was alles heel anders.
Toen kwam de vader van Pelle en Lasse nooit in de
kroeg.
Hij werkte als timmerman in de haven van
Amsterdam.
Mooie schepen werden daar gebouwd.
De vader van Lasse en Pelle was een goede
timmerman.
Zijn zoons hielpen hem en leerden zo het vak.
Ze verdienden een behoorlijk loon.
Genoeg om de huur te betalen. Genoeg om eten en
kleren te kopen.
Ja, ze hadden het heel goed, Pelle, Lasse en hun
ouders.

Maar toen viel hun vader, tijdens zijn werk.
Hij was een *onderdeel* van de mast aan het maken.
Hij maakte een enorme smak, van hoog uit de mast.
Hij brak een been en een arm.
Eigenlijk had hij nog geluk. Hij had ook zijn nek
kunnen breken.

Wekenlang kon hij niet werken. Wekenlang
verdiende hij dus niets.
De jongens werkten wel, maar verdienden heel
weinig.
Omdat ze nog geen echte timmermannen waren.
Maar het geld was niet het grootste probleem.
Het been van hun vader wilde niet genezen.
Het voelde warm aan en deed veel pijn.
Het werd eerst rood, toen blauw en toen zwart.
'Ik kan maar één *conclusie trekken*', zei de dokter.
'Het been moet eraf. Anders ga je dood.'

Gelukkig ging hij niet dood, de vader van Pelle en
Lasse.
Maar hij werd wel een man met één been.
Een man die zich alleen nog maar kon *verplaatsen
door middel van* krukken.
En die dus niet meer in masten kon klimmen.

Verkocht aan de stuurman

Pelle en Lasse waren die avond dus de kroeg ingegaan.
Hun vader zat in een hoekje bij het raam, met de jeneverkan voor zich op tafel.
Hij had veel gedronken, dat zagen ze meteen.
Er was al een behoorlijke *hoeveelheid* drank uit de kan. Hij keek slaperig uit zijn ogen.
Tegenover hem zat een man in nette kleren.
De man praatte vrolijk en schonk de beker van hun vader steeds weer vol.
Intussen zwaaide hij met een stuk papier.
'Teken hier', zei hij. 'Dan is het leven niet zo *ingewikkeld*, man. Dan heb je geld genoeg.'
De man had hem een pen gegeven.
De vader van Pelle en Lasse kon de pen *amper* vasthouden.
Maar hij had zijn handtekening gezet.
Nou ja, geen echte handtekening, want hij kon niet *schrijven als* iemand die naar school is gegaan.
Hij tekende met de pen een kruisje.
En dat was in die tijd hetzelfde als een handtekening.

'Mooi', zei de keurige man.
'Wie van de twee kan ik meenemen?'
Hij keek naar Pelle en Lasse.
Die begrepen er niets van. Maar hun vader knikte.
'Zoek er maar een uit', zei hij met een dikke tong tegen de man.

En die had Pelle gekozen.
Pelle, arme Pelle.
Hij was verkocht door zijn vader. Aan de stuurman
van een zeilschip.
Een schip, dat dezelfde avond nog zou vertrekken,
naar China en Japan.
Pas een jaar later zou Pelle weer terug zijn in
Amsterdam.
Of twee jaar later. Want zo *stipt* op tijd voeren de
zeilschepen niet.

Pelles vader was erg blij geweest met het geld.
Maar die blijdschap had niet lang geduurd.
Hij moest nog geld betalen aan de huisbaas.
Hij moest nog geld betalen aan de bakker en de
slager.
Hij moest nog geld betalen aan de kroegbaas.
Toen hij alles betaald had, was er niet veel meer
over.
En hij was wel zijn zoon kwijt.

Terugbetalen

Het is nu helemaal donker in de straatjes van
Kanton.
De zon gaat snel onder, in dit deel van de wereld.
Pelle verbaast zich er nog steeds over.
Thuis, in Amsterdam, duurt dat veel langer.
Vooral in de zomer duurt de schemering lang.
Maar hier, dichter bij de evenaar, is het zo voorbij.
In *ca.* een halfuur is de dag veranderd in een
donkere nacht.
'Dat is omdat de aarde een *bol* is', heeft de
stuurman gezegd.
'Hoe verder je naar het noorden gaat, hoe langer
de schemering duurt. Dat komt door de hoek
waaronder het zonlicht de aarde bereikt.'
Het zal wel, dacht Pelle. Hij begreep er niets van.

Alle anderen zijn nu ergens binnen.
De schipper en de stuurman zullen wel lekker eten
in een eethuis.
Ze hebben de hoogste *positie* op het schip. Dus zij
verdienen het meest van allemaal.
Zij kunnen alles kopen wat ze hebben willen.
En dat doen ze ook: vooral zijde en ivoor.
In iedere havenstad komen ze met de mooiste
dingen terug.
Ze stoppen de dure spullen in een grote kist.
Hun eigen scheepskist, die op slot kan.
Als ze terug in Amsterdam zijn, verkopen ze die
spullen weer. Dan zijn ze rijk.

De anderen staan ver onder de schipper en de stuurman.
Zij verdienen ook veel minder.
Scheepsjongens en matrozen kunnen geen zijde kopen.
En ook geen ivoor.
Zij krijgen wat geld om lol te maken, als ze in een haven zijn.
Om drank te kopen in een van de vele kroegen.
Om eten te kopen bij de kraampjes langs het water.
Om meisjes te betalen, die hen meenemen naar een smerig kamertje.
Alleen Pelle krijgt niets.
Geen drinkgeld, geen eetgeld, geen geld voor armoedige liefde.
Al het geld dat Pelle verdient, gaat meteen naar de stuurman.
De stuurman heeft geld aan Pelles vader gegeven.
En dat moet Pelle terugbetalen. Tot de laatste cent.

Het had eerst wel leuk geleken, een jaar op zee.
De hele dag buiten, op het schip, samen met andere jongens.
Andere mensen ontmoeten in vreemde havensteden.
Andere talen, andere gewoontes. Het had leuk en *afwisselend* geleken.
Maar het *valt tegen*. Het valt heel erg tegen.

Liever op het schip

De nacht op de hoek van de twee straatjes duurt
lang voor Pelle.
Af en toe dommelt hij weg. En met een schok wordt
hij iedere keer weer wakker.
Hij is blij als de zon opkomt.
Hij pakt zijn plunjezak en loopt naar de haven.
Zijn schip ligt ergens midden in het water. Het
anker is daar uitgegooid.
Alleen de bootsman is nog aan boord, met een paar
wachters. Zij passen op het schip.

Misschien kan ik er naartoe zwemmen, denkt Pelle.
Op het schip heeft hij tenminste een plek in het
ruim*.
Op het schip is misschien ook wel iets te eten.
Er wordt nu vers voedsel aan boord gebracht, voor
de terugreis. Als het oude, bedorven voedsel wordt
weggegooid, kan hij dat pakken.

Hij weet wel dat hij niet aan boord mag komen.
Als het schip in een haven ligt, moeten de mannen
van boord. Zo is het altijd.
Maar Pelle denkt dat hij wel stiekem terug kan
komen.
Hij zal er wel voor zorgen dat de bootsman hem
niet ziet.
Hij heeft het wel vaker gedaan, in andere havens.

---
*   Het ruim is het onderste deel van een schip.

Pelle heeft genoeg van havenplaatsen.
Ze hebben allemaal prachtige namen. Malakka,
Macao, Goa, Formosa.
Namen die je doen wegdromen.
Namen die je doen denken aan prachtige meisjes.
Maar de *werkelijkheid* is heel anders.
Alle havensteden zijn hetzelfde. Ze *verschillen*
nauwelijks van elkaar.
Overal zijn gore kroegen, smerige eetkraampjes en
ordinaire vrouwen die hun lichaam *verhuren*.
Overal ligt afval te rotten en rennen ratten door de
goten.
Maar *bovenal* zijn er kerels uit op je geld, je
bezittingen.
Kerels die met messen zwaaien en niet bang zijn
om je te vermoorden.
Pelle heeft gelukkig bijna geen bezittingen.
Maar toch loopt hij in elke havenstad gevaar.
Zelfs al is hij een arme scheepsjongen.

Een rijke man

In een ander, beter deel van Kanton woont meneer
Winston.
Hij is een oude, rijke Engelsman.
Zijn huis is een van de grootste huizen van de stad.
Hij heeft een eigen rijtuig en wel twintig paarden.
In zijn tuin staan bijzondere bomen en planten.
In zijn kasten staan kostbare borden en glazen.
Hij heeft meer gouden ringen dan vingers.
Ja, hij is heel rijk, meneer Winston.
En heel oud.

De dokter heeft hem zojuist slecht nieuws
gebracht. De *conclusie* van vele onderzoeken.
'U heeft niet lang meer te leven', zei de dokter.
'Uw hart is op, uw longen zijn op.
Misschien duurt het nog een week, misschien een
maand.
Maar dan zal de dood u komen halen.'
'Probeer me beter te maken', heeft meneer
Winston gesmeekt.
'Alsjeblieft, probeer het. Ik zal je geld geven en
goud.
Ik kan ieder geneesmiddel betalen. Al is het nog zo
duur.'
Maar de dokter had zijn hoofd geschud.
'Voor al het goud van de wereld kan ik u niet
beter maken', zei hij. 'De dood *hoort bij* het leven,
meneer Winston. Het leven is *eindig*. Dat kan ik niet
veranderen. En u *evenmin*.'

En nu zit meneer Winston in de tuin, met een kopje thee.
Twee bediendes hebben hem naar buiten gebracht.
In een draagstoel. Want de benen van meneer Winston zijn ook op.
Hij zit onder een prachtige boom, de slaapboom.
De vogels fluiten boven zijn hoofd.
Hij drinkt de zwarte, geurige thee. Jasmijnthee.
En hij denkt na over zijn leven.

Eigenlijk heeft hij niets gepresteerd in zijn leven.
Ten opzichte van andere mensen is hij een grote mislukkeling.
Zelfs t.o.v. zijn bediendes.
Nooit heeft hij iets nuttigs gedaan.
Hij was al rijk toen hij geboren werd.
Hij heeft altijd geld uitgegeven en nooit wat verdiend.
Een nutteloos, leeg leven was het. Zonder werk, zonder vrouw, zonder kinderen.
Wel een aangenaam leven, dat zeker.
Hij was van niemand *afhankelijk*. Hij kon doen wat hij wou.
Maar als hij zijn leven met één woord zou moeten *omschrijven*, dan zou dat 'leeg' zijn.
Ik had net zo goed niet geboren kunnen worden, denkt meneer Winston.
Het *symbool* voor mijn leven is een O, een nul.
En een nul lijkt een cijfer, maar het is niets.

Mira

Een bediende vertelt dat er bezoek is. En meteen
komt het bezoek de tuin inwandelen.
Een mooie Engelse vrouw, met een grote hoed en
een parasol.
Mira heet ze. Wonder betekent dat.

Mira en meneer Winston kennen elkaar al lang.
Vroeger hoopte Mira dat ze mevrouw Winston zou
worden.
Maar dat is nooit gebeurd. Winston wou niet
trouwen.
Een vrouw, daar moet je rekening mee houden.
Winston had geen zin om zijn *overzichtelijke* leven
op te geven.
Hij ging wel af en toe bij Mira op bezoek.
Dan deelden ze samen haar bed.
Hij *gaf* die bezoekjes aan Mira *schematisch weer* in
de stam van de slaapboom.
Als hij op bezoek was geweest, dan sneed hij één
verticale streep in de zachte boomstam. Bij de
vijfde keer sneed hij een *horizontale* streep door de
vier andere strepen. Winston hield van *overzicht*,
ook in de liefde.
Voor elk streepje in de stam van de slaapboom,
kreeg Mira een zilverstuk. Voor elke vijf strepen
kreeg ze daar een paar edelstenen bij. En een lap
zijde.

En zo werd Mira een rijke vrouw.

'Mira, je bent gewoon een hoer', zeiden de vrouwen van Kanton.

Maar Mira vond van niet.

'Hij betaalt je voor seks', zeiden de vrouwen van Kanton. '*d.w.z.* je bent een hoer.'

Maar nog steeds vond Mira van niet.

Diep in haar hart hield ze van de dikke Winston. De man die geen problemen kende. De man die niets wilde bereiken.

Omdat hij niemand anders wilde zijn dan wie hij was.

Omdat hij niets anders wilde hebben dan wat hij had.

'Dag Mira, wat kan ik voor je doen', klinkt de zware stem van Winston.

'Niets, Winston', antwoordt Mira met een glimlach.

'Ik dacht dat ik misschien iets voor jou kon doen.'

Winston kijkt even naar de stam van de slaapboom.

'Je hebt de dokter gesproken', begrijpt hij. 'Daaruit heb je *afgeleid* dat ik wel wat gezelschap kan gebruiken.'

Mira geeft geen antwoord.

Ze trekt voorzichtig haar lange handschoenen uit.

Die draagt ze altijd, omdat anders haar armen bruin worden van de zon.

En bruine armen, dat is iets van arme mensen.

'Waarom ga je er niet even uit', zegt ze.

'Je kunt naar de haven gaan, met je rijtuig.

Daar kun je over het water kijken, naar de zeilschepen.

Je kunt er luisteren naar de verhalen van de zeelieden.

Het zal je *afleiden* van de woorden van de dokter.
Het zal je afleiden van je sombere gedachtes.'

Winston kijkt haar een tijdlang aan zonder iets te zeggen.
Misschien had ik met Mira moeten trouwen, denkt hij.
Misschien had ik een kind met haar moeten krijgen.

Vreemde gasten

Winston en Mira rijden samen naar de haven.
Mira kent deze buurt goed. Ze weet welke kroeg de
meest geschikte is.
Een klein lokaal, vlak bij de zee, waar niet zo veel
wordt gevochten.
Oude zeelieden komen daar vooral. En zij hebben
altijd de beste verhalen.

Het is nog vroeg in de middag, maar de kroeg zit
vol.
Vol met mannen, die sterke drank drinken.
Sommigen praten luid en lachen. Anderen zitten
zwijgend voor zich uit te kijken.
Weer anderen kaarten, en krijgen ruzie.
Ze zwaaien met hun messen naar elkaar.
Tot de baas van de kroeg een eind aan de ruzie
maakt.
'Rustig, anders krijg je geen drank meer', zegt hij.
Het helpt. Even.

De mannen kijken op als Mira en Winston binnen
komen.
Het is een wonderlijke *combinatie*: de mooie,
stralende vrouw en de *kromme* man, die amper kan
lopen.
Zulke deftige mensen zie je niet vaak in kroegen
aan de haven.
Ook de kroegbaas kijkt verbaasd.
Blij komt hij naar de nieuwe gasten toe.

Hij *verschuift* twee stoelen naar een lege tafel en knikt.
'Ga zitten, ga zitten', zegt hij.
Aan deze mensen valt iets te verdienen. Meer dan aan die dronken en ruziënde zeelui.
'Wat kan ik voor u doen?', vraagt hij, en hij buigt eerbiedig zijn hoofd.

'Geef iedereen iets te drinken van ons', zegt Mira luid.
Meteen zijn de mannen in de kroeg stil.
Ze kijken stomverbaasd naar de mooie vrouw.
'Wat wil je van ons, missy?', vraagt er een.
Mira glimlacht. Missy. Meisje betekent dat.
In geen jaren heeft iemand haar zo genoemd.

Alvorens te antwoorden zet Mira haar hoed af en schudt haar blonde haar.
De mannen kijken betoverd.
'Wij willen jullie verhalen', zegt Mira dan.

Zeemansverhalen

De zeelieden zijn even stil. Dan beginnen ze te lachen.
Verhalen vertellen, ja dat kunnen ze! En dat zullen ze *bewijzen* ook!
Ze schuiven hun stoelen bij.
De kroegbaas wrijft in zijn handen.
Hij hoopt dat de zeelieden veel verhalen vertellen.
Hij hoopt dat de rijke gasten lang zullen blijven.
En dat er veel gedronken zal worden.

De hele middag blijven Winston en Mira in de kroeg. De zeelieden kunnen prachtige verhalen vertellen, met veel *details*.
Het ene verhaal is nog ongelooflijker dan het andere.
Over reuzeninktvissen, die grote boten laten omslaan.
Over waternimfen die scheepsjongens verleiden.
Over rotsen die 's avonds op een andere plaats liggen dan 's morgens.
De mannen kennen de namen van de hoofdpersonen.
De mannen weten precies waar alles is gebeurd.
Het zijn echte verhalen, ware verhalen. Allemaal.
Dat *blijkt* wel *uit* de gedetailleerde informatie.
Of niet soms?
De kroegbaas loopt af en aan met drank.
Naarmate er meer wordt gedronken, worden de verhalen mooier.

Winston geniet. Hij kijkt Mira dankbaar aan.

Dit was een goed idee.

Geen moment heeft hij aan de dokter gedacht. En aan zijn sombere bericht.

'Ik ken ook een verhaal', zegt hij plotseling.

'Een zeemansverhaal, dat ik lang geleden heb gehoord.'

'Vertel het ons', zeggen de zeelieden. 'Vertel ons uw verhaal, heer.'

En ze nemen nog een slok.

Winston vertelt van een arme scheepsjongen.

Hij heeft geen geld en zit op straat. Dan komt een rijke heer voorbijrijden, in een rijtuig.

Hij belooft de jongen een bad, een maaltijd en een goudstuk.

Het enige wat de jongen daarvoor moet doen is de nacht met zijn vrouw doorbrengen.

De rijke heer kan geen kinderen krijgen. En nu moet de scheepsjongen *datgene* doen wat de oude man niet kan: zorgen voor een kind.

De jongen gaat mee met de rijke man.

Hij krijgt een bad, een maaltijd en een goudstuk.

En dan wordt hij naar de slaapkamer van de echtgenote gebracht.

De scheepsjongen is bang dat hij met een lelijk oud mens naar bed moet.

Maar ja, voor een goudstuk doet hij veel.

De deur van de slaapkamer gaat langzaam open ...

Op het grote bed ligt een jong meisje.

Het is het mooiste meisje dat de jongen ooit heeft gezien.

Een zeemanssprookje

De zeelieden knikken.
Ja, dat is een mooi verhaal. Maar ze kennen het al.
'Het is een heel oud verhaal', zegt Winston. 'Ik heb het gehoord in mijn jeugd. Hoe kunnen jullie het dan kennen? Jullie zijn veel jonger dan ik.'
Weer knikken de zeelieden. Ja, het is een oud verhaal.
Het is een verhaal dat in elke kroeg in elke haven wordt verteld.
Al honderd jaar, of nog langer. Het is een echt zeemanssprookje.

'Nee,' zegt Winston, 'het is geen sprookje; het is echt gebeurd. De man die het mij vertelde heeft het zelf meegemaakt.'
De zeelieden lachen en schudden hun hoofd.
Nee heer, echt niet.
De verhalen over monstervissen zijn waar.
De verhalen over bewegende rotsen zijn waar.
En de verhalen over waternimfen zijn waar.
Maar dit verhaal, nee heer, dit verhaal is een sprookje.
Het is de droom van elke scheepsjongen.
In werkelijkheid is die droom nooit uitgekomen.
En hij zal ook nooit uitkomen.

Winston kijkt teleurgesteld naar Mira. Maar ook zij schudt haar hoofd.
De zeelieden hebben gelijk.

Zij kent het verhaal ook, het zeemansprookje.
Het is een prachtig verhaal. Maar het is nooit gebeurd.
Ze probeert hem op te vrolijken:
'Maar de *overige* verhalen, Winston, die zijn toch waar? Die zijn toch leuk?'

Moeizaam komt Winston overeind.
Hij vindt het *storend* dat nou net zíjn verhaal geen bijzonder verhaal is.
Dat iedereen het kent.
De zeelieden hebben allemaal *uitvoerig* hun eigen verhalen verteld.
Onzinverhalen, natuurlijk, maar wel mooie verhalen.
En hij komt met een eenvoudig verhaal dat echt gebeurd kan zijn.
En niemand gelooft het!
Zonder een woord te zeggen strompelt hij naar buiten en hijst zich in zijn rijtuig.
Teleurgesteld is hij. En een beetje boos.
Heeft hij zijn hele leven een leugen geloofd?
Iedereen wist dat het een leugen was en hij niet?

Mira betaalt de kroegbaas.
Die *schrapt* de vele streepjes, die met krijt op de muur zijn geschreven.
Waarschijnlijk heeft de kroegbaas heel wat extra streepjes gezet, denkt Mira.
Waarschijnlijk heeft hij met *dubbel* krijt geschreven.
Maar ja, dat is nu *eenmaal* een *eigenschap* van iedere kroegbaas.

Dan gaat ze naar buiten en stapt ook in het rijtuig.
De paarden beginnen te draven.
'Ik kan het verhaal laten gebeuren', zegt Winston
dan tegen Mira. 'Ik kan van een leugen de waarheid
maken.'

Een sprookje waar maken

Mira probeert Winston op andere gedachten te brengen.
Maar Winston is het niet gewend dat iemand hem tegenspreekt.
Hij is gewend zijn zin te krijgen.
'Als jij me niet helpt, zoek ik iemand anders', zegt hij tegen Mira.
'Als je me wel helpt, zal ik je belonen met goud en edelstenen.'
Mira hoeft er niet lang over na te denken.
Ze weet dat Winston erg gul kan zijn.
Maar toch geven het goud en de edelstenen niet de *doorslag*.
Mira wil het de oude man vooral graag naar de zin maken. Misschien is het wel de laatste keer dat zij dat kan doen.
'Ik zal je helpen', zucht ze. 'Voor *eenmaal*.'
'Eenmaal is genoeg', zegt Winston.
Hij is direct weer in een goed humeur.

Hoewel Mira een mooie vrouw is en erg haar best doet, lukt het niet direct. Ze was er al bang voor.
Ze is een aantrekkelijke vrouw van veertig, maar geen jong meisje meer.
Ze moet heel wat trucs uit de kast halen.
De bedienden helpen haar met kruiden, met zalfjes, met geurtjes.
Alle inspanningen leveren uiteindelijk een prachtige, jonge vrouw op.

Er is bijna geen *onderscheid* meer tussen haar en een jong meisje.

Ze gaat liggen op een groot bed, met satijnen lakens.
Ze draagt geen juwelen en een eenvoudige witte onderjurk.
De bedienden leggen haar lange blonde haar in een krans om haar hoofd.
De zware gordijnen zijn dichtgedaan, zodat het schemerig is in de kamer.
Er branden alleen een paar kaarsen.
De gele vlammetjes laten Mira nog meer op een meisje lijken.
Als ze *eenmaal* kant en klaar op het bed ligt, laat ze Winston komen.
'Het spel kan beginnen', zegt ze tegen hem.

Even later rijdt de oude man weg met zijn rijtuig, de schemering van Kanton in.

Een maaltijd en een goudstuk

Pelle zit op de havenmuur. Hij wacht op het donker van de nacht.
De zon begint al onder te gaan. Gelukkig weer net zo snel als gisteren.
Nog even, en hij kan naar het schip zwemmen.

Ratelend rijdt een rijtuig voorbij. Pelle kijkt ernaar.
Het is een mooi rijtuig. Te mooi voor deze buurt.
'Jongen', roept een stem in het Engels.
Pelle staart over de zee. Hij kijkt niet op.
'Jongen', roept de stem weer. 'Kom hier.'
Pelle weet zeker dat het niet tegen hem wordt gezegd. Maar toch kijkt hij om.
De man in het rijtuig wenkt hem. 'Kom hier.'
Pelle pakt zijn plunjezak op en loopt langzaam naar het rijtuig.
Wat kan die deftige man van hem willen?

'Wil je een maaltijd verdienen?', vraagt de man.
Pelle aarzelt.
Enerzijds heeft hij honger. Maar anderzijds is het al bijna donker, bijna tijd om naar het schip te zwemmen.
Winston ziet zijn aarzeling.
'Een maaltijd en een goudstuk?', vraagt hij dan.
'En *eventueel* een bad?'
Een goudstuk! Dat is veel.
Het is meer dan een scheepsjongen verdient met een jaar lang werken op het zeilschip.

Het is zelfs meer dan alle scheepsjongens bij elkaar verdienen.
Pelle knikt.

De deur van het rijtuig zwaait open.
'Stap in', zegt Winston.
Maar Pelle schudt zijn hoofd.
'Ik zou uw rijtuig vies maken', zegt hij. 'Ik ren wel mee naast het rijtuig. Ik kan die paarden makkelijk *bijhouden*.'
'Ik dank je voor je *begrip*', antwoordt Winston.
'Ik ben blij dat ik jou heb uitgekozen.'

De grote wielen ratelen over de weg langs de haven.

Winstons huis

Het moet het mooiste huis van Shanghai zijn, denkt
Pelle. Misschien wel het mooiste huis van heel
China.
Het is een groot, wit huis met blauwe dakpannen.
De *omvang* is enorm.
In de ogen van Pelle is het groter dan het paleis van
een koning.
Zijn mond staat open van verbazing als ze voor het
huis staan.

Links en rechts van de marmeren trappen staan
twee gouden leeuwen.
En ertussen wel tien bedienden op een rij.
Winston zegt iets tegen de bedienden. Iets in het
Chinees.
Twee van de bedienden nemen Pelle mee, de
marmeren trap op.
Mooie Chinese meisjes zijn het. Ze dragen wijde
broeken en kleurige strakke jasjes.
Hun haar hangt in dikke zwarte vlechten op hun rug.
Ze pakken elk een hand van Pelle. En ze brengen
hem naar binnen.

Ze gaan naar een flinke kamer zonder ramen.
In het licht van olielampen ziet Pelle dat het een
badkamer is. Het ruikt er naar bloemen en kruiden.
In het midden staat een koperen bad, gevuld met
warm water. De stoom komt er vanaf.
Pelle knippert even met zijn ogen.

De meisjes kleden Pelle uit. Dat gaat heel apart.
Ze *benoemen* een kledingstuk, trekken het uit en
vouwen het op.
Dan buigen ze en beginnen ze aan het volgende
kledingstuk. Net zolang tot Pelle helemaal bloot is.
Pelle wil protesteren bij het uittrekken van zijn
broek.
Maar de meisjes lachen vriendelijk en gaan gewoon
door met hun werk.

Daarna wordt hij gewassen.
De meisjes *passen* een vreemde wastechniek *toe*.
Ze pakken allebei een soort handschoen van touw
en beginnen te wrijven.
De werk*verdeling* tussen de meisjes is perfect.
De ene doet zijn linkerarm, de andere zijn
rechterarm. Helemaal gelijk.
Dan zijn rug, zijn billen, zijn benen. En tenslotte zijn
borst en zijn buik.
Het doet soms pijn, maar het is ook wel lekker.

De meisje zijn klaar, lachen naar hem en wijzen
naar het bad.Het zal wel de bedoeling zijn dat ik
erin ga zitten, denkt Pelle.
Hij stapt in het warme water en laat zich op de
bodem zakken.
Nog nooit heeft hij zoiets prettigs gevoeld.
Het water sluit om hem heen als een zachte deken.
Een sterke muntgeur bedwelmt hem bijna.
Dit is dus *in plaats van* een zwemtocht in de zee,
denkt hij.
Dan doet hij zijn ogen dicht en denkt aan niets meer.

Eten

Na het bad wordt Pelle door de meisjes afgedroogd.
Weer gaat alles links en rechts precies gelijk.
Armen, rug, billen *enzovoort*.
De meisjes wrijven even met hun hand over zijn
huid en trekken hem giechelend een soort badjas
aan.
Waarschijnlijk giechelen ze omdat de badjas veel te
groot is.
Het is een schitterende badjas, van blauwe zijde.
Er staan draken op geborduurd met gouddraad.
Pelle heeft het gevoel dat hij droomt.
Zo moet het in de hemel zijn, denkt hij.

De meisjes pakken elk weer een hand van Pelle.
Ze nemen hem mee naar beneden, naar de eetzaal.
Daar zit Winston al te wachten, op een stoel aan
een lange tafel.
De meisjes verschuiven een stoel aan het andere
eind van de tafel.
Zo staan de twee stoelen recht tegenover elkaar.
Zo kunnen de mannen elkaar goed zien.
'Ga zitten, jongen', zegt de oude man.
Pelle zakt neer op de stoel en de meisjes schuiven
de stoel voor hem aan.
Dan buigen ze en gaan weg.

Winston klapt in zijn handen. Meteen verschijnen
er vier bedienden.
Ze hebben allemaal een groot blad in hun handen.

Met veel verschillende soorten eten.
Rijst, vlees, groente, vis, fruit, noten.

Alles wordt voor Pelle neergezet.
Hij kijkt er met grote ogen naar. Zoveel eten heeft
hij nog nooit bij elkaar gezien.
'Eet, jongen, eet', moedigt Winston hem aan.
Voorzichtig neemt Pelle een hap rijst.
Het smaakt heerlijk. Nog een hap.
En een hap vlees, met groente. En nog een hap.
En nog een.
Pelle is uitgehongerd.

Winston glimlacht.
'Eet zoveel je wilt', zegt hij. 'Maar doe het rustig
aan, jongen.
Het is beter voor je maag om langzaam te eten.
Je moet niet misselijk worden.
Want na het eten verwacht ik nog wat van je.'

De opdracht

Terwijl Pelle eet, begint Winston te praten.
Hij vertelt dat hij pas getrouwd is, met een jonge
vrouw.
Hij vertelt dat hij graag een zoon wil hebben.
Een zoon om zijn rijkdom aan door te geven.
Maar dat hij te oud is om kinderen te maken.
'Ik heb *evenveel* geld als de keizer van Japan',
overdrijft Winston. 'En ik wil niet dat al dat geld na
mijn dood in de handen van dieven en plunderaars
komt. Ik wil dat er iets nuttigs mee wordt gedaan.
Door mijn zoon.'

Pelle houdt even op met eten. Met volle mond kijkt
hij Winston aan.
Die knikt naar hem.
'Er is een *verband* tussen de leeftijd van een vader
en de gezondheid van zijn kind', zegt hij tegen Pelle.
'Jonge mannen maken sterke, gezonde kinderen.
Oude mannen geven misschien hun kennis en
wijsheid door, maar niet hun levenslust en hun
kracht.'
Pelle is onder de indruk.
Niemand heeft ooit op die manier tegen hem
gepraat.
'Je moet er goed over nadenken, als je je wilt
voortplanten', gaat Winston verder. 'Daarom heb ik
een gezonde jonge man gezocht. Jou.'
Hij kijkt Pelle doordringend aan.
'Jij moet mij een zoon geven', zegt hij dan.

'Vannacht zul je bij mijn vrouw slapen.
Dat zal geen straf voor je zijn. Want mijn vrouw is mooi, erg mooi.
En ... je zult er een goudstuk mee verdienen.'
Weer kijkt hij Pelle doordringend aan.
'Je bent toch wel in staat een vrouw te bezitten?', vraagt hij.

Pelle kan zijn oren niet geloven.
Hij moet vannacht met een mooie, jonge vrouw naar bed?
En hij krijgt er nog een goudstuk voor ook?
'Nou?', dringt Winston aan. 'Je kunt het toch wel?'
Pelle knikt, nog steeds met zijn mond vol.
Natuurlijk kan hij het.
Hij heeft de zeelieden er vaak genoeg over horen praten.
Zelf is hij nog nooit met een meisje meegegaan.
Maar hoe moeilijk kan het zijn?
Alle mannen kunnen het. Natuurlijk kan hij het ook.

Het mooiste meisje van de wereld

Pelle loopt langzaam de marmeren trap op.
'Het is de tweede deur rechts', heeft Winston
gezegd.
Hij is zelf aan tafel blijven zitten.

Pelle gaat steeds langzamer lopen.
Ineens wordt hij bang.
Hij zal het toch wel goed begrepen hebben?
Hij spreekt en verstaat heel aardig Engels. Dat leer
je wel in een jaar op zee.
Maar ja, dat is zeelieden-Engels. Misschien heeft hij
toch iets gemist.
Wat de oude man *verstaat onder* 'een vrouw
bezitten', is dat wel hetzelfde als wat hij denkt?
Hij staat even stil. Ja, dat moet wel hetzelfde zijn.
Maar toch, er wordt heel wat van hem verwacht.
Hij moet een zoon maken!
Pelle weet er niet zo heel veel van.
Maar genoeg om te begrijpen dat het ook een
dochter kan worden.
En dat is de bedoeling niet. Daar krijgt hij geen
goudstuk voor.

Maar ... tegen die tijd is hij al lang weer thuis.
Tegen de tijd dat er een baby wordt geboren, is hij
niet meer hier.
Dan is hij in Amsterdam, met zijn goudstuk.

Hij glimlacht even. *Naar verhouding* is het wel heel goed betaald.
Hij maakt een vrouw zwanger. En daarna leeft hij niet meer in armoede.
En zijn broer en ouders ook niet.

Pelle doet voorzichtig de deur open. De tweede deur van rechts.
Het is een grote kamer, dat ziet hij wel.
Maar verder ziet hij niet zo veel. De kamer is nauwelijks verlicht.
Er staan een paar kaarsen rond het bed, dat is alles.
Het is een groot bed, met dunne gordijnen er omheen.
Langzaam loopt Pelle naar het bed toe.
Daar moet ze liggen, de jonge vrouw van Winston.
De vrouw die vannacht van hem zal zijn.

Pelle doet de gordijnen open en stopt even met ademhalen.
Op het bed ligt het mooiste meisje dat hij ooit heeft gezien.
Ze slaapt.

Mooi

Mira is in slaap gevallen.
Het duurde ook zo lang, het wachten op de zeeman.
Eerst moest hij gehaald worden, bij de haven.
Toen moest hij in bad. Daarna kreeg hij te eten.
En al die tijd lag ze stil te wachten, op het grote bed.

Pelle gaat aan het voeteneind van het bed zitten.
Hij kijkt naar de slapende Mira.
Haar haar ligt nog steeds als een krans om haar
hoofd.
Haar lippen zijn rood geverfd.
En om haar ogen heeft ze zwarte lijntjes getrokken.
Zo lijken haar ogen groter. Als ze open zijn
tenminste.

Pelle zucht even. Zoveel moois op één avond.
Hij zucht zachtjes, maar toch wordt Mira er wakker
van.
Ze doet haar bruine ogen open en kijkt Pelle aan.
'Dag', zegt ze.
Ze is niet verbaasd dat Pelle op haar bed zit.
'Wat ben je mooi', fluistert Pelle.
Ze lacht even.
'Jij bent ook mooi', antwoordt ze.
Dat verbaast Pelle.
Nog nooit heeft iemand hem mooi genoemd.
Mooi, dat is niet belangrijk voor een man.
Een man moet sterk zijn, of nog beter: rijk.
Maar mooi zijn, daar heb je niets aan.

'Kom', zegt ze. 'Kom bij me liggen. Daarvoor ben je hier toch?'

Pelle knikt.

Ja, daarvoor is hij hier.

Hij was het bijna vergeten.

De eerste kus

Pelle doet de zijden badjas uit en glijdt bij Mira
tussen de lakens.
Voorzichtig strijkt hij over haar blonde haar, langs
haar gezicht.
'Je bent zo mooi', fluistert hij weer. 'Mag ik je
kussen?'
Mira knikt.
Ze pakt Pelles gezicht tussen haar handen.
En ze drukt haar lippen op de zijne.
Het is de eerste keer dat een meisje hem kust.
En dat hij een meisje kust.
Zijn hele lijf wordt er warm van.

'Hoe heet je?', vraagt Pelle, als hij weer adem kan
halen.
Mira schudt haar hoofd. Ze wil het hem niet
vertellen.
'Toe', zegt Pelle. 'Zeg het me. Je bent mijn eerste
meisje.
Ik zal je nooit kunnen vergeten. Ik moet weten hoe
je heet.'
'Mira', zegt Mira zachtjes. 'Dat betekent wonder.
En hoe heet jij?'
'Pelle', antwoordt Pelle. 'Dat betekent niets.'
Ze moeten allebei lachen.

'Hoe oud ben je Pelle?', vraagt Mira. Ze strijkt over
zijn borst. 'Je bent vast nog heel jong', zegt ze. 'Je
hebt nog geen haar op je borst.'

'Ik ben zeventien', liegt Pelle. 'En jij? Ben je ook zeventien?'
Mira aarzelt, maar dan knikt ze.

Pelle wrijft over Mira's schouders, haar nek.
Omlaag, naar haar borsten in de onderjurk.
'Ik houd mijn onderjurk liever aan', zegt Mira.
Ze probeert verlegen te kijken.
'Ik vind het moeilijk om bloot te zijn bij een vreemde man.'
Pelle knikt. Dat begrijpt hij wel.

De eerste keer

'Is het ook jouw eerste keer?', vraagt Pelle.
Weer aarzelt Mira even. Maar dan schudt ze haar
hoofd.
'Ik ben toch met Winston getrouwd', zegt ze.

'O', zegt Pelle. 'Ik dacht dat hij er te oud voor was.
Dat zei hij tegen me.'
Mira glimlacht.
'Nee', zegt ze. 'Hij kan me wel beminnen.'
Dan doet ze haar witte onderjurk een stukje
omhoog.

Voorzichtig gaat Pelle op haar liggen.
'Ik ben toch niet te zwaar voor je?', vraagt hij.
Mira kijkt ernstig. 'Nee, hoor', zegt ze. 'Je hebt nog
lang niet de omvang van Winston.'
En ze trekt hem dichter tegen zich aan.

Zo moet het zijn als je dronken bent, denkt Pelle.
Dat lichte gevoel in je hoofd. Dat heerlijke gevoel in
je buik.
Zo moet zijn vader zich voelen als hij in de kroeg zit.
Zo moet het zijn om de hele wereld te vergeten.
Op dit moment bestaan alleen hij en Mira.
Hij doet zijn ogen dicht.
Mira strijkt met haar handen door zijn haar.

'Doe ik het wel goed?', fluistert Pelle.
'Ja', fluistert Mira terug.

'Ik hoop dat ik je een zoon geef', fluistert hij weer.
Mira glimlacht, maar ze geeft geen antwoord.
Ze kan het hem moeilijk vertellen.
Dat het helemaal niet haar bedoeling is om
zwanger te worden.
Niet van een zoon en niet van een dochter.

Littekens

Mira wrijft met haar vingers over Pelles rug.
Ze voelt twee grote littekens, van boven naar
beneden. 'Wat heb je daar?', vraagt ze.
'Mmm?', zegt Pelle.
Hij ligt op zijn buik naast haar. Hij was bijna in slaap
gevallen.
'Hoe kom je aan die littekens?', vraagt Mira.
'O, dat', zegt Pelle. Het is moeilijk om vanuit de
hemel naar de aarde te komen. Hij zucht en gaat
rechtop in bed zitten.

'Het leven op een boot is hard', zegt hij.
'Ja?', vraagt Mira. 'En?'
Pelle haalt zijn schouders op. Hij heeft er geen zin
in om over de bootsman te vertellen.
Over zijn gemene grijns en zijn zweep, gemaakt van
een stuk touw met een knoop aan het eind.
'Hoe is het gebeurd?', dringt Mira aan. 'Die littekens
zijn daar toch niet vanzelf gekomen?'

Pelle schudt zijn hoofd.
'Nee', zegt hij. 'Ik ben gestraft. Omdat ik een touw
verkeerd had vastgemaakt.'
Mira kijkt hem met grote ogen aan.
'Dat is alles?', zegt ze.
'Ja', antwoordt Pelle. 'De bootsman zei dat het schip
daardoor een *afwijking* naar links had. Dat was
helemaal niet waar, maar hij is de bootsman, dus hij
had gelijk.'

Mira gaat met haar lippen zachtjes over de littekens heen.
'Wat heeft hij gedaan?', vraagt ze.
'Geslagen met een zwaar stuk touw', zegt Pelle.
'Ik heb nog geluk gehad. Een andere scheepsjongen heeft het drinkwater laten vallen. Voor straf is hij gekielhaald. Hij heeft het niet overleefd.'

'Gekielhaald?', vraagt Mira.
'Ja. Hij werd aan een touw vastgebonden. En onder het schip door getrokken.
Soms overleef je die straf. Maar soms ook niet.
Als het te lang duurt, verdrink je.
Hij was mijn vriend. Mijn enige vriend op het schip.'

Weg

Buiten begint het licht te worden. Maar in de
slaapkamer van Mira is het nog donker.
Erg donker. De kaarsjes zijn uit.

Pelle slaapt. Voor het eerst in maanden is hij rustig
in slaap gevallen.
Voor het eerst in maanden is hij niet bang geweest
voor de nacht.
Mira is wakker. Ze glijdt voorzichtig uit bed.
Ze wil weg zijn voordat Pelle wakker wordt.
Ze wil weg zijn voordat Pelle haar bij daglicht ziet.
Ze moet een droom blijven.
Een mooi jong meisje, dat hij bemind heeft.

Ze doet een klein stukje van de zware gordijnen
voor de ramen open.
Bleek licht valt naar binnen, op de slapende Pelle.
Ze kijkt even met een glimlach naar hem.
Het was een idiote leugen, vannacht.
De vreemde wens van een verwende oude man.

Maar voor Pelle was het geen idiote leugen.
Voor Pelle was het pure werkelijkheid.
Een onmogelijke werkelijkheid. Maar toch, hij heeft
het meegemaakt. Echt.
Eén nacht was hij in de hemel. Met haar, met Mira.

Ze sluipt de kamer uit. Op de gang doet ze haar
kleren aan over haar witte onderjurk.

Dan loopt ze naar beneden.
In de eetkamer zit Winston, aan de lange tafel.
Hij is daar de hele avond en de hele nacht blijven wachten.
Op haar en op Pelle.

Ze zeggen niets tegen elkaar.
Mira knikt even. Dan loopt ze naar buiten, naar huis.
Met haar hoed op, haar lange handschoenen aan en onder haar parasol.

Een goudstuk

Pelle wordt wakker als de zon al hoog aan de hemel staat.
Even weet hij niet waar hij is. Maar dan komt alles weer terug.
Het rijtuig, het bad, de maaltijd en Mira.
Mira ... Waar is ze?
In elk geval niet in de slaapkamer.
Pelle doet zijn kleren aan. Iemand heeft die gewassen en naast het bed gelegd.

Dan loopt hij de gang op. Geen Mira.
Hij gaat de trap af. Niemand.
In de eetkamer zit Winston.
Hij zit nog net zo als gisteravond.
Het lijkt alsof hij zich niet bewogen heeft.
Even denkt Pelle dat hij dood is.
Maar dan begint Winston te praten.

'Hier zijn twee goudstukken, jongen', zegt hij.
'Je hebt ze eerlijk verdiend.
Je hebt je taak goed gedaan, heb ik gehoord.'
Hij gooit de goudstukken naar Pelle toe. Die vangt ze handig op.
Maar hij stopt ze niet weg. Hij legt ze op tafel neer.
'Ik hoef er geen geld voor te hebben', zegt hij.
'Ik vind het fijn dat ik u kon helpen.'
Hij pakt zijn plunjezak op en wil weggaan.

Maar Winston houdt hem tegen.

'Het was de afspraak', zegt hij. 'Die mag je niet *wijzigen*.
Voor een bad, een maaltijd en een goudstuk ben je met me meegegaan.
En je hebt mijn vrouw zwanger gemaakt. Daar geef ik je nog een goudstuk voor.
Als je ze niet aanneemt, zal men mij een oneerlijk mens vinden.
En ik wil niet de oneerlijke vader van jouw zoon worden.'

Daar moet Pelle over nadenken.
Hij begrijpt het niet helemaal. Maar het klinkt erg belangrijk.
Hij knikt en pakt de goudstukken op.

Alleen van mij

'Wat ga je nu doen?', vraagt Winston.
Pelle kijkt hem aan.
'Terug naar het schip', antwoordt hij. 'Morgen varen
we uit.'
'Je kunt nu een geweldig verhaal vertellen', zegt
Winston. 'Op het schip en in alle kroegen waar je
komt.'
Pelle kijkt verbaasd. 'Verhaal?', vraagt hij.
'Ja', zegt Winston. 'Over wat je hebt meegemaakt,
vannacht.' Hij kijkt hoopvol naar de jongen.

Maar Pelle schudt zijn hoofd. Zijn blauwe ogen
staren in de verte.
'O nee', zegt hij. 'Dit is geen verhaal om te vertellen.
Dit is een verhaal om voor jezelf te houden.
En elke keer als ik pijn heb, of verdriet, zal ik eraan
denken.
Deze nacht zal alleen van mij zijn. Ik zal hem met
niemand delen. Nooit.
U kunt gerust zijn. Niemand zal weten dat uw zoon
niet van u is.'

Langzaam draait hij zich om.
Hij kijkt nog een keer goed om zich heen.
Dan loopt hij tussen de twee gouden leeuwen door
naar buiten.
Naar zijn schip in de haven. Naar de bootsman met
de zweep.
En naar de stuurman die hem gekocht heeft van
zijn vader.

Pelle loopt met grote stappen naar de haven.
Hij is niet meer dezelfde jongen als gisteren.
Hij is een man, die iets ongelooflijks heeft
meegemaakt.

De terugreis

De terugreis naar Amsterdam is net als de heenreis.
De bootsman is nog steeds gemeen. Iedere
dag wordt er wel een jongen geslagen met zijn
vreselijke stuk touw. Om iets kleins. Of om niks.
Het eten is slecht. Dat komt door de vreselijke hitte.
In die warmte blijft het voedsel niet lang goed,
net als het water.
De mannen moeten het stinkende voedsel wel eten
en het bedorven water drinken. Er is niets anders.
Tenminste niet voor de mannen in het ruim van het
schip.
De kapitein en de stuurman, de bootsman en de
wachters, zij krijgen beter eten.
Zij worden niet ziek.
De mannen in het ruim echter wel, bijna allemaal.
Sommigen zijn zelfs zo ziek dat ze sterven.
Ze worden gewoon in zee gegooid. Niemand is
verdrietig om hen.
'Alleen de sterken blijven over', heeft Pelle de
schipper horen zeggen. 'Zo gaat dat op zee.
Gemiddeld verliezen we de helft van de mannen aan
boord. Deze reis valt het nog mee.'

Af en toe vaart het schip een haven binnen.
Dan wordt er vers water aan boord gebracht.
Er wordt voedsel gehaald.
De schipper en de stuurman gaan op zoek naar dure
spullen om mee naar huis te nemen.
De mannen vermaken zich in de kroegen.

En dan varen ze weer verder. Terug naar
Amsterdam.

Pelle is nu aan het zeemansleven gewend.
Hij vindt het niet meer zo vreselijk als op de
heenreis.
De herinnering aan Mira helpt hem de nachten
door.
De goudstukken, die hij in zijn broek heeft genaaid,
helpen hem de dagen door.
O, die goudstukken ...
Straks, in Amsterdam, dan pas komen ze
tevoorschijn.
Nu blijven ze in zijn broek. Hij koopt er geen zijde
van, of ivoor.
Hij geeft het niet uit in kroegen.
Al heeft hij nog zo'n honger, de goudstukken blijven
waar ze zijn.
Niemand mag weten dat Pelle rijk is.
Vooral de stuurman niet.

Amsterdam

Eindelijk, eindelijk varen ze de haven van
Amsterdam binnen.
Soms twijfelde Pelle of hij het wel zou halen.
Ergens voor de kust van Afrika werd hij ziek,
doodziek.
De scheepsdokter had zijn hoofd geschud.
'Scheurbuik', had hij gezegd.
Pelle wist wel wat dat betekende. Smerig eten.
Bedorven water.
Daar krijg je de ziekte scheurbuik van.
Als je dan niet gauw aan land kunt ga je dood.
Mensen met scheurbuik hebben vers voedsel nodig.
En dat was er niet op het schip.
Maar hij was weer opgeknapt.
Misschien was het toch geen scheurbuik geweest.

Bij de kust van Spanje kwamen ze in een zware
storm terecht.
De mast van het schip brak, net toen hij erin klom.
Hij viel met de mast in de woeste zee.
Wat jammer van de goudstukken, dacht Pelle.
Die komen nu met mij op de bodem van de zee te
liggen.
Maar de mannen hadden hem uit zee gehaald.
Voor de tweede keer was hij aan de dood ontsnapt.

En nu is hij bijna thuis. Ze varen op het IJ.
Hij ziet de torens van de stad al. De tranen staan in
zijn ogen.

Het is de eerste keer dat hij huilt, in al die tijd.
Zal Lasse aan de haven staan?
Nee, natuurlijk niet.
Lasse weet helemaal niet dat hij vandaag
terugkomt. Lasse zal wel ergens aan het werk zijn.
Om geld te verdienen voor zijn moeder. En voor zijn
vader met één been.

Pelle tuurt met zijn hand boven zijn ogen in de
verte.
Er staan heel wat mensen op de kade.
Maar er is niemand bij die hij kent.

Loon

Het schip ligt in de haven.
Alle mannen moeten in de hut van de schipper
komen. Daar krijgen ze hun loon.
De schipper heeft *bijgehouden* in een opschrijfboek
wat iedereen moet krijgen.
Sommige mannen ontvangen weinig, omdat ze
onderweg gestraft zijn met geldboetes.
Andere mannen zijn onderweg gestorven; hun loon
hoeft niet uitbetaald te worden.
De stuurman betaalt. De mannen zetten hun
handtekening als ze hun loon ontvangen en
nageteld hebben; het is meestal een kruisje.

Pelle moet als laatste in de hut van de schipper
komen. Hij weet van tevoren dat het hem niets zal
opleveren. Maar iedereen moet nu eenmaal komen.
De stuurman kijkt in het opschrijfboek en grijnst
naar hem.
'Jou hoef ik niets te betalen', zegt hij.
Hij wijst met zijn vinger naar een bladzijde in het
boek.
'Kijk, jij staat in deze *kolom*. Verkochte kinderen,
staat erboven. Dat is jouw *rubriek*.'
Pelle kijkt.
In het boek heeft de stuurman een *tabel* getekend.
Een tabel met wel tien kolommen.
Wat er boven de kolommen staat kan hij niet lezen.
Maar hij ziet wel dat er maar weinig mannen
betaald zijn.

Er staan maar een stuk of tien kruisjes in de tabel.
Terwijl ze met zeker honderd mannen aan boord
waren.
Kennelijk zijn er veel meer mannen zoals hij, die
geen loon krijgen. Die voor niets werken, omdat
ze hun schulden moeten afbetalen. Die voor niets
werken, omdat ze verkocht zijn. Of omdat ze
iets misdaan hebben en uit de gevangenis willen
blijven.
Pelle schudt even zijn hoofd.
Zo kunnen de hoge heren hun grote winsten
maken, denkt hij.
Ten koste van de degenen die werken voor niets.

'Nee', antwoordt Pelle dan. 'Ik krijg geen loon. Maar
u moet wel het contract verscheuren. Het contract
met de handtekening van mijn vader erop.'
De stuurman wil weigeren, maar de schipper knikt.
'Pelle heeft gelijk', zegt hij.
Met tegenzin haalt de stuurman het contract uit
een map. En hij geeft het aan Pelle.
Die vouwt het netjes op en stopt het in zijn jak.
Dan pakt hij zijn plunjezak en stapt aan wal.
Thuis.

Nog één keer kijkt hij goed om zich heen. Nee, Lasse
staat er echt niet.
Dan loopt hij naar het steegje waar hij vroeger
woonde.
Pelle weet de weg nog precies.
Al ben je nog zo lang van huis, de weg naar je eigen
straat vergeet je niet.

Hier links en dan daar de hoek om ...
Verbaasd blijft Pelle staan. Waar is zijn straat?
Waar is het steegje waar hij altijd heeft gewoond?
Alle huizen zijn weg.
Hoe kan dat?

Marthe

Weer zit Pelle op de hoek van twee straatjes.
Maar nu niet in Kanton.
Nu is hij gewoon in zijn eigen stad, in Amsterdam.
Maar hij voelt zich hier net zo vreemd als in China.
Net zo akelig en onveilig. Waar moet hij heen?

'Hé, zeeman', zegt een meisje. 'Wil je met me
meegaan?'
Pelle kijkt op.
Het meisje en Pelle schrikken allebei.
'Marthe?', vraagt Pelle.
Het meisje knikt.
'Lasse?', vraagt het meisje.
'Nee, die andere', antwoordt Pelle.
Marthe schiet in de lach.
'Ik heb jullie nooit uit elkaar kunnen houden', zegt
ze.
'Al heb ik mijn hele leven naast jullie gewoond.'

Even later zitten ze samen op de havenmuur.
Marthe vertelt wat er met hun straat is gebeurd.
Er is een grote brand geweest.
De houten huizen uit hun straat waren meteen
weg. En die uit de volgende straat ook.
'Het was afschuwelijk', zegt Marthe. 'Veel oude
mensen en kleine kinderen zijn verbrand.
Zij konden niet op tijd uit hun huizen komen.'
'Mijn vader en moeder?', vraagt Pelle angstig.
Marthe schudt haar hoofd.

'Je vader heb ik na de brand niet meer gezien', zegt ze.
'Maar je moeder wel. Ik weet alleen niet waar ze nu is. Misschien werkt ze als huishoudster bij een rijke familie. Of misschien is ze weggegaan, naar het platteland.'
'En Lasse?', vraagt Pelle.
Marthe kijkt hem aan.
'Die is gaan varen', zegt ze. 'Je vader heeft hem ook verkocht.'

Genoeg

Pelle kijkt uit over het IJ. Het is leuk om hier te
zitten.
Hij heeft altijd van deze plek gehouden.
Al die schepen op het water. Al die mensen die van
alles te doen hebben.
Vroeger hoorde hij daarbij, bij die mensen.
Toen hielp hij zijn vader, op de werf. Samen met zijn
broer.
Hun vader leerde hun timmeren.
Ze zouden allebei goede timmermannen worden.
Dat zei hun vader vaak.
Maar dat was vroeger.
Voordat hun vader viel.
Voordat hij zijn zoons verkocht.
Voordat de grote brand hun huis verwoestte.

Het is nu twee jaar geleden dat Pelle terugkwam.
Twee jaar lang heeft hij naar zijn moeder gezocht.
En iedere dag heeft hij 's middags aan de haven
gezeten.
Om te kijken of er een schip was teruggekeerd.
Om te vragen of iemand wist waar zijn
tweelingbroer zou kunnen zijn.
Maar nu moet hij het opgeven. Hij moet weer gaan
werken.
Zijn goudstukken zijn bijna op.
Hij heeft er een huisje van gekocht, aan de rand van
de stad.
Een klein huisje is het, maar wel van steen.

Dat heeft het stadsbestuur van Amsterdam beslist:
er mogen nog alleen maar stenen huizen gebouwd
worden.

Het gaat eigenlijk heel goed met Pelle.
Hij is geen arme jongen meer. Hij heeft zijn eigen
timmerwerkplaats, aan huis.
Hij heeft een vrouw, die Marthe heet, en een
zoontje, dat Lasse heet.
En hij heeft herinneringen, mooie herinneringen.
Maar die zijn nog steeds alleen voor hemzelf.

Kleine Pelle

Aan de andere kant van de wereld wandelt een vrouw.
Een mooie vrouw, met een klein jongetje aan haar hand.
Pelle, heet het jongetje. Zijn moeder is de rijkste vrouw van Kanton.

Iedere dag wandelt Pelle met zijn moeder langs de haven.
Zij houdt ervan naar de schepen te kijken.
Vooral de schepen van ver weg, de schepen uit Europa.
Ze praat altijd even met die zeelieden.
Ze wijst op haar zoontje.
Maar de zeelieden schudden steeds hun hoofd.

Daarna wandelt ze naar het kerkhof.
Daar legt ze bloemen op een mooi graf.
Het is het graf van meneer Winston.
De dag dat de kleine Pelle werd geboren, is hij gestorven.
Hij idee van een zoon heeft hem nog lange tijd in leven gehouden.
Veel langer dan de dokter had voorspeld.
'Het is allemaal voor jullie', heeft hij tegen Mira gezegd.
'Mijn huis, mijn paarden, mijn geld. Alles. Op één voorwaarde.'

Mira had met haar hand over zijn voorhoofd
gestreken.
'Zeg het maar', zei ze. 'Je weet dat ik altijd doe wat
je van me vraagt.'
'Je moet het kind vertellen wat er gebeurd is',
antwoordde Winston.
'Hij moet weten dat een arme jonge zeeman zijn
vader is. En niet ik ...'

'Goed', had Mira gezegd. 'Ik zal het hem vertellen.
Maar waarom wil je dat?'
'Hij moet het verhaal kunnen vertellen, later', had
Winston geantwoord.
'Het sprookje van de arme zeeman, die een
goudstuk krijgt om met een beeldschoon meisje
naar bed te gaan.'
Toen sloot hij zijn ogen. En stierf.

Nawoord

De kleine Pelle uit Kanton zal later een beroemd schrijver worden.
Eén van de boeken die hij gaat schrijven zal het verhaal van zijn vaders zijn.
Zijn echte vader, de zeeman uit Amsterdam.
En de vader die hem 'bedacht' heeft: de rijke meneer Winston.
Hij zal zich zijn leven lang met beide mannen *verbonden* voelen.
Terwijl hij ze geen van beiden kent. En zeker weet dat hij ze ook nooit zal leren kennen.

Het boek zal hij 'De leugen' noemen.

Woordenlijst

Categoriën: wiskunde en algemeen

In deze woordenlijst vind je alleen de betekenis die hoort bij dit verhaal.
De cijfers verwijzen naar de bladzijde waar het woord voor het eerst voorkomt.